2/14

POSTRES para COMER con CUCHARA

mousse, panna cotta, salsas de acompañamiento

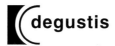
degustis

Importado y publicado en México en 2011 por / Imported and
published in Mexico in 2011 by:

Advanced Marketing, S. de R.L. de C.V.

Calz. San Fco. Cuautlalpan no. 102 Bodega D,

Col. San Fco. Cuautlalpan, Naucalpan,

Edo. de México, C.P. 53569

Título Original / Original Title: Postres para comer con
cuchara / Dolci al cucchiaio

Traducción/Translation: Laura Cordera y Concepción O. de Jourdain
Corrección de Estilo/ Proofreading: Cristina Tinoco de Oléa

© Food Editore, un sello editorial de Food s.r.l.

Via G. Mazzini, 6 -43121 Parma; Via P. Gaggia, 1/A – 20139 Milano

ISBN: 978-607-404-444-7

11 10 9 8 7 6 5 4 3 2 1

El Mundo del Chocolate

POSTRES PARA COMER CON CUCHARA

mousse, panna cotta, salsas de acompañamiento

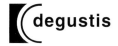

Los hombres pueden dividirse en dos categorías:
Aquellos a los que les gusta el chocolate
y aquellos que no lo quieren admitir.

Anónimo

Contenido

Antojos cremosos

Con su sabor único y delicioso, la carga de energía y el sentido de satisfacción que sabe ofrecer y su increíble manejo, el chocolate se postula para el papel de protagonista también en el goloso mundo de los postres para comer con cuchara.

Con este término nos referimos, en general, a esos postres que por su consistencia y delicadeza, se pueden servir en porciones individuales y necesitan sólo de una simple cuchara para ser degustados, sin necesidad de llevar a la mesa un cuchillo y un tenedor. Sigamos esta clásica distinción para proponer **46 recetas** de bavaresas, cremas, pudines, mousse y sorbetes en el **volumen 3** de nuestra colección **El Mundo del Chocolate**.

Un poco de historia...

Cada uno de estos postres tiene su propia historia y una evolución diferente, aunque todos tienen un elemento en común: forman parte del panorama gastronómico europeo desde hace relativamente poco tiempo en comparación con los pasteles y postres en general. Esto sobre todo por los problemas relacionados con el proceso de preparación y la **conservación de materias primas**, en específico de los huevos: muchas cremas implican de hecho, el uso de yemas o claras de huevo crudas, simplemente batidos con el azúcar. Debido a que estos ingredientes se deterioran fácilmente, la producción de cremas para adornar dulces se limitó por un largo tiempo al procesamiento de **queso fresco**: por ejemplo, los griegos preparaban simples platillos a base de leche y queso enriquecidos con miel y frutos secos. Por medio de la literatura clásica supimos después de recetas muy similares a las modernas: es el caso de la llamada placenta romana, una especie de "antiguo mil hojas" adornado con miel y queso de

cabra, así como de rudimentarios pudines hechos con harina, huevos, miel y, una vez más, queso.

Para acercarnos a la actual pastelería individual que se come con una cuchara fue de igual forma necesaria la introducción de dos ingredientes clave, no disponibles hasta el principio de la edad moderna: pensemos en el **azúcar** y el chocolate.

Con respecto al primero, no podemos olvidar que se trata de un producto en cierta forma "exótico": probablemente de Asia Menor, fue considerado por los pueblos de Europa durante al menos toda la Edad Media como una especia, es decir como un **condimento valioso** para ser utilizado sólo en preparaciones muy especiales. Además, debido a su precio muy elevado, el azúcar fue por siglos un alimento al alcance de unos pocos representantes de las clases sociales más acomodadas.

Con respecto al **chocolate**, su "historia europea" empieza inevitablemente con el **descubrimiento de América**, hogar natural del árbol de cacao. Tampoco la importación del cacao al Viejo Continente fue de inmediato suficiente para asegurar la difusión y el uso de este delicioso alimento. De hecho, a los conquistadores españoles que desembarcaron en el Nuevo Mundo al final del siglo XV el chocolate les pareció una **bebida simple y más bien amarga**, desde luego en una forma muy alejada de lo que solemos imaginar, y difícil incluso, para ser reutilizado en la cocina. Como todas las novedades, el cacao necesitó tiempo para ser apreciado, y cambios significativos que lo hicieran más adecuado al gusto europeo: inicialmente fueron los monjes quienes enriquecieron las recetas originales con la manteca de cacao, la vainilla y el azúcar. Pero estos mismos monjes, e incluso las casas reales de España y Portugal, guardaron celosamente por mucho tiempo los secretos aprendidos sobre el "alimento divino".

Quien bien comienza...

Al igual que todos los aspectos de la pastelería, y del chocolate de una manera particular, nada debe dejarse al azar o a la intuición. **Las medidas, los tiempos y los pasos** deben ser mesurados y **bien pensados**, por lo que la experiencia es el ingrediente esencial, ¡así como los que cada vez se especifican en las recetas! Pero esto no tiene que desalentarlo. Es suficiente con leer todo el proceso, elegir con cuidado los mejores ingredientes, conseguir el equipo necesario y seguir las recomendaciones para que el resultado sea delicioso y muy eficaz.

De hecho, un experto chef de repostería se ha hecho cargo para ustedes de la **introducción** de este volumen, que ilustra paso a paso, a través de bellas imágenes y descripciones detalladas, todas las técnicas básicas que usted necesita conocer para preparar deliciosos mousse, cremas para untar o de acompañamiento y todos los postres clásicos de los postres individuales. Naturalmente todos pueden personalizarse con **aromas naturales e ingredientes frescos** al gusto, una vez que se haya adueñado de los pequeños e indispensables "trucos del oficio". De hecho, hasta la más simple de las cremas se puede enriquecer con el irresistible aroma de un buen cacao amargo, mientras el más simple de los pudines puede ser un deleite para los ojos gracias a las decoraciones que se pueden hacer con todos los tipos de chocolate, siempre y cuando sean cuidadosamente templados. Por este motivo, se ha dedicado un espacio especial a las **tres técnicas** que se pueden utilizar para el **temperado**, etapa muy delicada pero fundamental si se quiere llegar a ser pasteleros expertos. No queda más que subirse las mangas y empezar a practicar...Con el tiempo la pasión refina los resultados y lleva al éxito; ¡la satisfacción de los invitados paga todo el trabajo!

Nota curiosa: el año1828 marca el nacimiento definitivo del moderno cacao en polvo, la base de todas las preparaciones que se utilizan actualmente en la cocina. Esto gracias al invento, por parte del químico holandés Van Houten, de una particular prensa para moler finamente las semillas de la planta.

Utensilios para el chocolate

1 Tazones de acero
Indispensables para la preparación de cremas, mousse, masas; para batir crema batida, yemas o claras de huevo. El acero no absorbe los olores y es ideal para contener diferentes tipos de alimentos.

1

2 Colador de malla fina
Para que las cremas sean más finas y homogéneas, siempre es mejor cernir la harina, el cacao y el azúcar glass antes de mezclarlos y utilizarlos. Utilice una hoja de papel encerado para recoger los ingredientes cernidos.

2

3

3 Manga para repostería
Para darle forma a un pastel relleno, merengues y trufas, pero también para sentar las bases para pasteles y galletas; es un aliado indispensable en la creación de sus postres a base de chocolate. Pruebe las de plástico desechables, todavía más prácticas y rápidas de usar.

4 Colador chino
El colador chino es básico para evitar grumos en los postres cremosos, y también útil para cernir las preparaciones líquidas o cremosas.

4

5 Batidora eléctrica

Para los más perezosos, pero también para los más exigentes: de hecho, en comparación con la batidora manual, la batidora eléctrica permite un considerable ahorro de tiempo y de energías. Excelente en la ausencia de las batidoras planetarias.

5

8 Termómetro de cocina

Una herramienta esencial para el templado correcto del chocolate y la elaboración de jarabes, cremas y merengues.

7

 8

6

6 Tazón alto de vidrio

Es ideal tanto para "elevar" un postre individual para comerse con cuchara sin forma, o también para presentar de una manera elegante los postres pequeños.

7 Salsera

El contenedor más elegante para llevar a la mesa crema inglesa, zabaione o coulis de fruta.

9 Taza para chocolate

Para servir su bebida de chocolate hecho con la mezcla indicada por nuestro experto en chocolate ¡en una taza divertida y... adecuada!

9

Lecciones de chocolate

En la repostería de porciones individuales que se comen con cuchara, la consistencia es esencial: las cremas y decoraciones deben ser suaves, homogéneas y bien montadas para que el resultado sea irresistible. Todos los secretos para aprender a preparar mousse de chocolate para repostería, cremas para untar y salsas de acompañamiento y muchas ideas para personalizar con estilo cada postre.

Vainilla

1-2-3 Ponga entre 5 y 7 vainas de vainilla en infusión en 1/2 litro de alcohol de 95° por 2 semanas. Después de este tiempo, retire la vainilla. De esta forma obtendrá un licor de vainilla. Rebaje el contenido de alcohol del licor agregando jarabe de azúcar. Puede utilizar el licor para remojar los pasteles.

4 Recupere las vainas de vainilla, séquelas y guárdelas para usarlas posteriormente. Si es necesario, vuela a tomar la vaina y ábrala en 2 partes a lo largo con la ayuda de un cuchillo filoso.

Puede utilizar la pulpa para darle sabor, por ejemplo a una crema pastelera: agregue las semillas a los huevos y al azúcar.

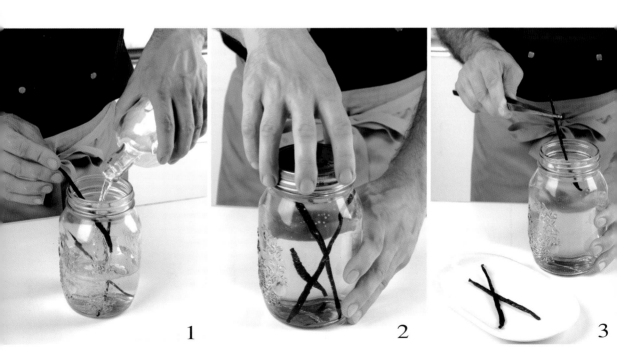

1   2   3

5 Retire la pulpa interna de la vaina con la ayuda de un cuchillo. Sumerja la vaina sin las semillas en la leche y caliente al fuego. En cuanto hierva la leche, quite la vaina, enjuáguela y póngala a secar (en invierno lo ideal es colocarla junto a una fuente de calor con un calentador).

6 Cuando la vaina esté completamente seca, métala en un contenedor con azúcar glass y ciérrelo con su tapa. Después de 5 días, obtendrá un excelente azúcar con aroma a vainilla. Tenga en cuenta que usted necesita 3 vainas de vainilla para dar sabor a 500 g de azúcar glass.

La vainilla es una especia muy fina, importantísima en la pastelería, pero muy cara.

4

5

6

Mousse al chocolate

1-2 Vierta el chocolate en trozos en la crema inglesa caliente (para la preparación vea la pagina 30) y mezcle hasta llegar a la temperatura de 30ºC.

3-4 Bata la crema y reserve. Agregue la primera mitad de crema batida a la mezcla de chocolate y revuelva con la ayuda de un batidor globo, desde el centro hacia los bordes del tazón hasta obtener una mezcla homogénea.

5 Agregue la segunda mitad de crema batida y mezcle suavemente para que no se baje.

6 Deje reposar por lo menos durante 3 horas en el refrigerador y sirva en vasos de porción individual.

250 g de chocolate amargo ■
para repostería
200 g de crema inglesa ■
400 g de crema para batir ■

1

2

3

Secretos *del* Chocolate

■ *Puede variar el sabor del mousse aromatizándolo al gusto con café: agregue una tacita de café exprés al chocolate derretido y siga con las indicaciones en la página siguiente.*

■ *Para darle al mousse un toque de menta será suficiente agregar una cucharada de esencia de menta al chocolate amargo para repostería derretido. O, pruebe con la misma cantidad de esencia de coco.*

■ *Sirva el mousse adornando al gusto cada vaso con decoraciones u hojuelas de chocolate blanco o galletas tipo lenguas de gato.*

Para obtener un mousse más espumoso y compacto utilice la crema batida a punto de turrón bien firme.

4   5   6

Mousse de leche

1 Usando una batidora eléctrica, bata la crema hasta obtener una textura no muy densa.

2 Derrita el chocolate a baño María o en el microondas hasta alcanzar una temperatura de 50°C (120°F).

3 Agregue alrededor de 1/3 de la crema al chocolate derretido y revuelva con la ayuda de un batidor globo hasta obtener una emulsión. La mezcla empezará a endurecerse ligeramente.

400 g de crema batida ■
300 g de chocolate de leche ■

4 Agregue la crema batida restante y mezcle hasta obtener un compuesto elástico y brillante. ▶

1

2

3

Secretos *del* Chocolate

■ Una crema demasiado batida puede correr el riesgo de producir un mousse con demasiado aire que, en contacto con el paladar, se desinflaría limitando el sabor.

■ Vertiendo la crema al tazón se endurece porque el chocolate es repelente al agua. Acuérdese de revolver siempre en la misma dirección.

■ Puede aromatizar el mousse con especias en polvo al gusto; canela, peperoncino o las semillas de las vainas de vainilla. Además de agregar aromas en polvo, puede proceder con una infusión en frío: remoje en la crema batida el aroma de su elección, cúbrala con plástico adherente transparente y refrigere toda la noche. Cuele la crema y proceda como se describe.

■ Una vez transcurrido el tiempo de reposo en el refrigerador, el mousse deberá tener una consistencia espesa como la que se muestra en la imagen 9.

4

5

6

Para variar, pruebe a aromatizar el chocolate de leche con una pizca de canela en polvo.

5-6-7-8 Agregue toda la crema restante y revuelva partiendo del centro y extendiéndose hacia la parte externa del tazón, con la ayuda de una espátula.

9 Deje reposar durante una hora en el refrigerador y sirva en tazones individuales.

Sirva el mousse complementándolo al gusto con hojuelas de avellanas tostadas en el horno entre 150°-180°C (300- 360°F) alrededor de 30 minutos

7

8

Panna cotta al chocolate

- 120 g de yemas de huevo ■
- 80 g de azúcar ■
- 1 vaina de vainilla ■
- mantequilla
- 250 g de crema para batir ■
- 250 g de leche entera ■
- 150 g de chocolate amargo ■
  para repostería

1-2 En un tazón bata las yemas con el azúcar ayudándose con un batidor globo.

3 Corte la vaina de vainilla longitudinalmente a la mitad y, con ayuda de un cuchillo, retire la pulpa. Agregue las semillas de la vainilla a las yemas y mezcle.

4-5 Integre poco a poco la crema y la leche con la mezcla de yemas y azúcar, siga mezclando. ▶

1   2   3

Secretos *del* Chocolate

■ Puede variar la preparación de la panna cotta agregando al chocolate fundido 3 cucharadas de ron. También puede aromatizar su postre con una tacita de café sin azúcar, agregándolo a la crema antes de mezclarla a los demás ingredientes.

■ Antes de hornear a baño María tenga mucho cuidado: el agua del molde para hornear no tendrá que entrar en contacto con los moldes individuales previamente llenados con la mezcla de crema y chocolate de repostería.

■ Puede servir la panna cotta al chocolate con una crema inglesa (ver el procedimiento en la receta de la página30), o con láminas de chocolate blanco, o también, con ralladura (o cáscara) de naranja confitada, en forma de cubos pequeños o tiras delgadas.

4   5   6

Para obtener una panna cotta blanca y evitar la cocción, omitir de la receta los huevos y el chocolate y agregar 15 g de grenetina sin sabor.

6 Tome una pequeña cantidad de la mezcla e integre con el chocolate derretido en el microondas.

7 Una las dos mezclas a base de crema y chocolate y mezcle hasta integrar por completo y obtener una emulsión.

8 Rellene los moldes de aluminio individuales previamente engrasados con mantequilla.

9 Coloque los moldes en un molde para hornear y cocínelos a baño María a 90°C (195°F) por casi una hora. Los moldes tendrán que estar cubiertos con agua en 2/3 partes. Deje enfriar la panna cotta y desmolde.

7

8

9

PUDÍN

- 3 yemas de huevo ▪
- 80 g de azúcar ▪
- 20 g de cocoa en polvo sin azúcar ▪
- 1 cucharada de ron ▪
- 200 ml de crema ▪
- 300 ml de leche ▪
- 200 g de chocolate blanco, ▪ en hojuelas
- 3 hojas (6 g) de grenetina en hoja ▪

1 Bata las yemas con el azúcar y agregue la cocoa y el ron.

2 Ponga a hervir la crema con la leche y agregue el chocolate. Retire del fuego y agregue la grenetina previamente remojada y exprimida.

3 Vierta la mezcla sobre las yemas batiendo con ayuda de una batidora eléctrica.

4 Vierta la mezcla en un molde ligeramente humedecido. Deje reposar en el refrigerador durante una hora y desmolde.

Puede variar la presentación del pudín haciéndolo endurecer en moldes individuales de diferentes formas.

4

Zabaione

1 taza (250 ml) ■
de vino Marsala
1 vaina de vainilla ■
150 g de yemas de huevo ■
125 g de azúcar ■

1 Lleve a ebullición el Marsala con la vaina de vainilla cortada longitudinalmente a la mitad.

2-3 En un tazón bata las yemas con el azúcar. Agregue el vino Marsala y ponga a cocer en una olla honda a baño María hasta que registre una temperatura de entre 82 y 85°C (180 y 185° F).

4-5-6 Pase la mezcla a un tazón filtrándolo con un colador chino y enfríelo inmediatamente en agua con hielo.

1

2

3

Secretos *del* Chocolate

■ *Si lo desea, puede sustituir el vino Marsala señalado entre los ingredientes con la misma cantidad de Oporto.*

■ *Puede combinar el zabaione con helado de chocolate, dulces semifreddos a base de frutos rojos y chocolate, pastel y mantecada de chocolate o de cacao, pandori y panettoni.*

■ *Con esta salsa puede probar a hacer unas deliciosas crepas o pastelitos rellenos... ¡la elección es suya!*

El Zabaione es excelente también con galletas como soletas o acompañado con pasteles elaborados con almendras.

4   5   6

Crema inglesa

250 g de crema ■
250 g de leche entera ■
1 vaina de vainilla partida ■
longitudinalmente a la mitad
100 g de yemas de huevo ■
75 g de azúcar ■

1-2-3 Hierva la crema, la leche y la vaina de vainilla. En un tazón bata las yemas con el azúcar.

4-5 Una la mezcla de crema con leche (sin la vaina de vainilla) a las yemas batidas y cueza a baño María, sin dejar de mezclar, hasta alcanzar una temperatura entre 82-85°C (180 y 185°F).

6 Deje enfriar la crema sumergiendo el tazón en agua con hielo, o extienda la crema en una charola y póngala en el refrigerador.

1

2

3

Secretos *del* Chocolate

■ *Puede variar el sabor de la crema inglesa agregando un poco de ralladura de cáscara de limón, chocolate previamente derretido en el microondas o a baño María, o café en polvo.*

■ *Como alternativa, pruebe a aromatizar la crema inglesa con 3-4 cucharadas de calvados, un licor francés obtenido de la destilación de la sidra.*

La crema inglesa es excelente combinada con un pastel de cacao, tartas de fruta o pudín de chocolate.

Coulis de fruta

1 Licue la fruta previamente lavada en una licuadora o con un mezclador de inmersión.

2-3 Agregue el azúcar y deje reducir cocinándolo a fuego lento entre 12 y 15 minutos, mezclando de vez en cuando. La salsa deberá estar ligeramente espesa. Cuele la pulpa licuada para evitar semillas en la salsa.

4 Fuera del fuego agregue a la fruta el Maraschino y unas gotas de jugo de limón. Mezcle hasta integrar

250 g de frutas rojas ▪
75 g de azúcar ▪
10 g de Maraschino ▪
(licor dulce de cerezas)
15 g de jugo de limón amarillo ▪

1

2

■ Es importante que la cocción sea a fuego lento para evitar que los azúcares de la mezcla se caramelicen y como resultado cambie el color de la salsa.

■ Puede servir el coulis de frutos rojos como acompañamiento de un pastel de chocolate, bavaresa de chocolate blanco, panna cotta, helados de crema, queso fior di latte o sorbetes.

Es importante usar siempre fruta madura para conseguir una salsa perfumada y sabrosa.

CREMA PARA UNTAR

1 Disuelva los dos chocolates en el microondas o a baño María hasta que hayan alcanzado los 40°C (105°F). Agregue a la mezcla la pasta de avellanas y mezcle.

2-3 Agregue el jarabe de azúcar y mezcle enérgicamente: obtendrá una mezcla muy espesa, firme, parecida a una pasta.

4-5 Agregue el aceite de girasol y siga mezclando: la crema final debe ser homogénea y líquida como muestra la fotografía.

6 Vacíe la crema en un frasco de vidrio esterilizado.

250 g de chocolate de leche ■
100 g de chocolate amargo ■
para repostería
250 g de pasta de avellanas ■
75 ml de jarabe de azúcar ■
75 ml de aceite de girasol ■

1

2

3

Secretos *del* Chocolate

■ En lugar del chocolate amargo en la repostería se utiliza la misma cantidad de manteca de cacao, una pasta que se obtiene tostando y moliendo por primera vez los granos de cacao. Es un tipo de chocolate puro, al 99%, derretido y sin azúcares añadidos. La manteca se utiliza para la producción del chocolate.

Para obtener el jarabe de azúcar lleve a ebullición 1 litro de agua con 1.1 kg de azúcar.

4   5   6

Chocolate en taza

2 vainas de vainilla ■
80 g de cocoa en polvo ■
sin azúcar
20 g de fécula de papa ■
15 g de fécula de maíz ■
160 g de azúcar glass ■
50 g de chocolate amargo ■
para repostería

1 Corte las vainas de vainilla a lo largo, quite la pulpa, agréguela al cacao en polvo previamente cernido, y mezcle.

2-3-4 Cierna la fécula, la fécula de maíz y el azúcar glass. Ponga todos los ingredientes cernidos junto con el chocolate rallado en una bolsa de plástico para alimentos, ciérrela y agítela bien para amalgamar. Ponga el polvo en un frasco de vidrio. ▶

1

2

3

4

5

6

Puede sustituir el chocolate amargo para repostería con la misma cantidad de chocolate de leche. Aromatice la preparación con canela o café en polvo.

5-6-7-8 Puede preparar el chocolate en taza de dos maneras: caliente la leche y viértala hirviendo en la taza en la que habrá puesto una cucharada llena de la mezcla de chocolate. Si desea una bebida más densa, continúe la cocción en el microondas a potencia media. También puede preparar el chocolate siguiendo un segundo método, cocinando en una olla a fuego medio-bajo la mezcla de chocolate con leche fría. Cocine hasta obtener la densidad deseada.

7

8

Bavaresa al chocolate

4 yemas de huevo ■
60 g de azúcar ■
100 g de chocolate ■
blanco, troceado
5 hojas (10 g) de ■
grenetina en hojas
250 ml de leche entera ■
1 sobre de vainilla en polvo o 1/2 ■
cucharadita de extracto de vainilla
250 g de crema para batir ■

1 Bata las yemas con el azúcar hasta obtener una mezcla homogénea; mientras, deje ablandar la grenetina en agua fría por algunos minutos.

2 Caliente la leche con la vainilla, retire del fuego y agréguela poco a poco a las yemas, mezclando. Coloque nuevamente la mezcla en la olla y llévela a ebullición revolviendo constantemente con ayuda de una cuchara de madera. En cuanto empiece a hervir, apague el fuego. Agregue el chocolate

previamente derretido a baño María o en el microondas y la grenetina exprimida, mezclando constantemente y deje enfriar.

3-4 Cuando la mezcla se haya enfriado, bata la crema e incorpórela a la mezcla. En este momento llene los moldes individuales y deje cuajar en el refrigerador por lo menos durante 3 ó 4 horas antes de servir.

Secretos *del* Chocolate

■ *Recuerde esperar a que la crema se haya enfriado antes añadir la crema batida, podría correr el riesgo de derretirse y perder volumen.*

Para desmoldar con facilidad la bavaresa será suficiente con sumergir el molde por algunos segundos en agua caliente.

3

4

1- Temperado en microondas

1 Pique finamente el chocolate sobre una tabla para picar con ayuda de un cuchillo.

2 Pase al microondas y déjelo derretir a potencia media, mezclando constantemente (cada 15 segundos) hasta que el chocolate esté completamente derretido.

3-4 Mida la temperatura del chocolate (máximo 33°C/91° F) antes de utilizarlo.

El termómetro de cocina es un aliado indispensable para obtener un excelente chocolate temperado.

Secretos *del* Chocolate

■ El temperado es un proceso especial que necesita soportar el chocolate antes de usarlo para decorar o para hacer chocolates; para no correr el riesgo de que el producto acabado no tenga una apariencia uniforme. Las temperaturas ideales para temperar los diferentes tipos de chocolate son: chocolate amargo, 31°C (98° F); chocolate de leche, 28°C (82°F); chocolate blanco, 28°C (82°F).

■ Si sobrepasa las temperaturas indicadas en la columna adyacente corre el riesgo de que el producto pierda su brillo característico y la densidad que lo distinguen; una vez que esté cristalizado, el chocolate tendrá un color blancuzco. La cantidad base de chocolate para utilizar es de 300 g.

3

4

2- Temperado por adición

Si el chocolate derretido resultara demasiado duro puede hacerlo más fluido metiéndolo en el microondas a potencia media durante 5 segundos.

1 Ralle 2/3 de chocolate y derrita la otra parte en el microondas entre 45-50°C (113-122°F).

2-3 Una el chocolate derretido con el rallado y mézclelos con ayuda de una espátula, hasta integrar por completo.

4-5 La mezcla final deberá tener una temperatura entre 30-32°C (86-90° F).

1

2

Secretos *del* Chocolate

■ El chocolate temperado obtenido con este procesamiento tendrá la liquidez dada por el chocolate fundido y el brillo y lo crujiente por el chocolate rallado.

■ Si la temperatura del ambiente en el que se preparan es especialmente alta, debe dejar que el chocolate se endurezca en el refrigerador antes de la rallarlo.

3

4

5

3- Temperado sobre mármol

1 Derrita el chocolate en el microondas o a baño María alcanzando una temperatura de 45-50°C (113-122° F). Pase 2/3 partes del chocolate a una superficie de mármol.

2-3-4 Usando una espátula extienda el chocolate derretido sobre la superficie de mármol (como alternativa al mármol puede utilizar una superficie de acero) para bajar la temperatura inicial hasta los 27°C (80°F).

5-6 Reinserte el chocolate extendido con ayuda de una espátula en el tazón con el chocolate derretido restante y mézclelo nuevamente: la mezcla final deberá tener una temperatura de 30-32°C (86-90°F).

Para temperar el chocolate de acuerdo a este método, si la superficie de su cocina está hecha con diferentes materiales, consiga una tabla para cortar o una base de mármol.

1

2

3

4

5

6

Glosario

Agar agar ■ Se trata de una sustancia espesante de origen oriental, obtenida de algún tipo de alga. A veces se utiliza en medicina, mientras en la cocina se considera como una alternativa a la gelatina de origen animal. La encuentra en polvo, en copos o en tableta.

Baño María ■ Es un método para calentar o cocinar indirectamente, que garantiza un mayor control cuando se trata de ingredientes delicados. La mezcla a cocinarse se coloca en un tazón que, a su vez, se coloca sobre otro tazón que contiene agua hirviendo. Todo se pone sobre el fuego o dentro del horno. El agua en ebullición liberará calor lentamente y de manera delicada. Esta técnica necesita tiempo, pero es muy utilizada en la elaboración de chocolate, pudines y cremas.

Batir ■ Revolver un compuesto para aumentar el volumen y la consistencia haciéndolo al mismo tiempo más suave.

Colador o colador chino ■ Conocido también como colador, es un utensilio hecho con una red para colar, para separar las sustancias más gruesas de las más finas y los líquidos de los sólidos. Existen diferentes tamaños a la venta, con mallas más o menos cerradas. Generalmente son de fierro, de acero o de nylon. Los que llegan del Extremo Oriente pueden ser hechos de hilos de bambús muy sutiles entrelazados y son ideales para colar alimentos que pudieran sufrir alteraciones entrando en contacto con el metal. El colador chino se diferencia por su particular forma de cono.

Cristalización ■ Utilizado en el sentido general para indicar la solidificación del chocolate derretido, el término en la pastelería se refiere más específicamente a la fase de enfriamiento de la manteca de cacao que se encuentra en el chocolate y que tiende a formar cristales irregulares. Se necesita respetar con cuidado las fases de temperado para obtener una cristalización lo más regular posible.

Espesante ■ Aditivo alimentario añadido para mejorar la consistencia y mantener el espesor de las salsas y aderezos. La fécula de maíz (o harina de maíz) y la fécula de papa son las más utilizadas en la repostería. Se disuelven en agua fría.

Ganache (betún) ■ Término que se utiliza en repostería para designar una crema muy sencilla que puede usarse de diferentes maneras: caliente, es un glaseado de chocolate perfecto para la decoración de pasteles; frío y batido es muy útil para rellenar. Única precaución: no conservar en el refrigerador para evitar que se espese demasiado.

Glucosa y dextrosa ■ Dos substancias para endulzar muy usadas en repostería, se obtienen de la elaboración de cereales, principalmente del maíz, y se encuentran de forma natural en la fruta. Como la fructosa, se venden a la densidad de 40/45 grados y se pueden encontrar en las pastelerías o en los supermercados mejor surtidos.

Incorporar ■ Untar delicadamente otros ingredientes a una mezcla batida, de manera que el aire contenido en dicho compuesto no sea eliminado y se obtenga un compuesto homogéneo.

Ligar ■ Hacer que una salsa o un compuesto sean más consistentes y duros al adicionar un espesante.

Manga para repostería ■ Cono de plástico o de tela con un orificio en la punta, en el cual se insertan cremas o rellenos para decorar los platos culinarios más diversos. La punta final o duya puede ser lisa o en forma de estrella y de diferentes tamaños.

Cola de pescado (o grenetina en hojas) ■ Es una sustancia inodora y de color ámbar que se une a las mezclas después de haberla ablandado en agua fría por algunos minutos y luego exprimida. Se usa en pastelería como espesante natural.

Quenelle ■ Este término proviene del francés. Se trata de una pequeña albóndiga de forma ligeramente alargada compuesta de diferentes ingredientes, hecha con las manos o, mejor, utilizando dos cucharas.

Temperado ■ Se trata de la técnica para trabajar el chocolate y que consiste en derretirlo y luego enfriarlo hasta una temperatura entre los 28°C (82° F) y los 31°C (88° F), para utilizarlo en diferentes preparaciones, sobre todo para las decoraciones. Las tres técnicas utilizables están descritas en las páginas 42-47.

Tpt ■ Con esta sigla se denomina en repostería una harina hecha con almendras molidas y azúcar en partes iguales. Se puede también encontrar la diferencia entre tpt blanco (con almendras sin piel) y tpt obscuro (con almendras sin pelar).

Vainilla ■ Especia que se obtiene de la planta de la orquídea, originaria de América, se deja secar por casi un año. Se utiliza para perfumar salsas y jarabes, entera o cortada a lo largo y luego privada de su pulpa interior.

Vanillina ■ Aromatizante obtenido de la planta de la vainilla o producido de manera sintética. Se utiliza en pequeñas dosis y se disuelve en agua caliente. Se utiliza no solamente en la cocina, sino también en la perfumería.

Recetas

Calientes o fríos, simples o más elaborados, los postres para comer con cuchara son una tentación a la que es imposible resistirse. Indicados para cerrar el menú de las grandes ocasiones, son también los caprichos más golosos para después de la cena o para un dulcísimo pecado de gula.

Panna cotta
al chocolate y café

Ingredientes para 8 porciones ■

6 g de grenetina
200 ml de leche
200 ml de crema para batir
3 cucharadas de azúcar
1 tacita de café express azucarado
200 g de chocolate amargo para
repostería

Preparación 20 minutos ■
Cocción 20 minutos ■
Grado de dificultad fácil ■

Ablande la grenetina en un poco de agua fría. Lleve a ebullición la leche y la crema junto con el azúcar, también vierta el café azucarado y la grenetina exprimida. Mezcle todo y deje entibiar.

Mientras tanto, pique finamente el chocolate y agréguelo a la base de leche tibia, diluyéndolo con un batidor para evitar que se formen grumos.

Llene con la mezcla preparada 8 moldes de hule o los clásicos moldes para flan previamente forrados con plástico adherente. Deje que se cuaje el postre en el refrigerador por 3 horas, desmolde y sirva.

Consejo del pastelero

Puede batir la crema y agregarla a la leche cuando ésta ya se haya enfriado en el refrigerador con la grenetina y los demás ingredientes; de esta manera obtendrá un postre más suave.

Delicias de chocolate blanco
y frambuesas

Ingredientes para 4 porciones ■

70 g de chocolate blanco
240 g de queso de cabra
6 cucharaditas de crema para batir
130 g de azúcar glass
1 huevo, batido
4 galletas redondas de chocolate
amargo

Para decorar
frambuesas
hojas de menta

Preparación 20 minutos ■
Cocción 30 minutos ■
Grado de dificultad fácil ■

Disuelva el chocolate a baño María o en el microondas mezclando constantemente. En un tazón de vidrio bata el queso con la crema y el azúcar glass, ayudándose con una batidora eléctrica, hasta que la mezcla esté espumosa y ligera. Agregue el huevo y el chocolate derretido, mezclando con ayuda de una cuchara de madera o una espátula de plástico.

Ponga las galletas en 4 moldes individuales de cerámica forrados con 2 tiras de papel encerado entrecruzadas y llene con la crema de queso hasta 2/3 partes de los moldes. Hornee durante 20 minutos a 170°C (338°F).

Deje enfriar y conserve en el refrigerador durante una hora.

Consejo del pastelero

También puede decorar las galletas de forma creativa utilizando 4 rebanadas de cualquier pastel de cocoa o chocolate de su agrado.

CRÈME BRÛLÉE
AL CHOCOLATE BLANCO

Ingredientes para 6 porciones ■

400 ml de crema para batir
1 vaina de vainilla
130 g de chocolate blanco
6 yemas de huevo
80 g de azúcar

Preparación 25 minutos ■
Cocción 15 minutos ■
Grado de dificultad medio ■

Caliente la crema en una olla con la vainilla cortada longitudinalmente a la mitad y, en cuanto empiece a hervir, raspe las semillas de vainilla con ayuda de un cuchillo y colóquelas nuevamente en la crema.

Disuelva el chocolate a baño María o en el microondas, mezclando constantemente, y agregue las yemas una a la vez. Agregue la crema en forma de hilo y siga mezclando. Vierta la mezcla en una olla limpia, póngala nuevamente en el fuego y siga mezclando, hasta que la mezcla deje una capa delgada en la cuchara.

Filtre con ayuda de un colador para eliminar la vaina y eventuales grumos, vierta en 6 moldes con capacidad de 120 ml hasta 1/2 cm del borde y refrigere durante toda la noche.

Antes de servir, espolvoree la superficie con el azúcar y caramelice con un soplete o pasándolo rápidamente por debajo del asador del horno a la máxima potencia. Sirva de inmediato.

Pudín de chocolate blanco

Ingredientes para 6 porciones ■

55 g de harina blanca "00" o
de primera calidad, cernida
1 1/2 litro de leche
8 yemas de huevo
80 g de chocolate blanco, picado
115 g de azúcar vainillada

Preparación 30 minutos ■
Cocción 30 minutos ■
Grado de dificultad fácil ■

En una olla a fuego bajo disuelva la harina con 1/2 taza de leche; agregue las yemas, una a la vez, y mezcle con ayuda de un batidor globo.

Derrita a baño María el chocolate. Agregue a la mezcla de los huevos el azúcar, el chocolate derretido y la leche sobrante. Siga mezclando por todo el tiempo de cocción hasta que la crema esté a punto de ebullición; viértala en moldes individuales para pudín.

Deje enfriar y endurecer el pudín antes de servirlo. Decore al gusto con hojas de menta y merengue desmoronado.

Consejo del pastelero

Puede servir el pudín después de haber esparcido en el plato la salsa de chocolate amargo para repostería, para crear un agradable contraste de color.

Sopa inglesa de frutos del bosque
con crema de chocolate blanco

Ingredientes para 4 porciones ■

4 yemas de huevo
80 g de azúcar
30 g de harina blanca "00" o de primera calidad, cernida
10 g de fécula de papa
350 ml de leche
150 ml de crema para batir
1/2 vaina de vainilla
100 g de chocolate blanco
1/2 naranja sin cera
16 soletas
200 g de frutos del bosque
(arándanos, moras, frambuesas, fresas)

Para el jarabe
60 g de azúcar
200 ml de agua
1/2 naranja sin cera
anís estrella
menta
20 ml de licor de mandarina

Preparación 25 minutos ■
Cocción 30 minutos ■
Grado de dificultad medio ■

Mezcle las yemas de huevo con el azúcar, agregue la harina cernida con la fécula. Caliente la leche con la crema y la vainilla cortada longitudinalmente a la mitad, hasta registrar los 180°C (360° F), filtre y agregue a la mezcla. Cocine hasta obtener una crema espesa.

Vierta también el chocolate blanco y deje derretir; perfume con la ralladura de la cáscara de naranja.

Prepare el jarabe hirviendo el azúcar con el agua hasta llegar a los 120°C (250°F); deje entibiar. Agregue los demás ingredientes (de la naranja utilice sólo la cáscara) y deje enfriar.

Remoje las soletas en el jarabe preparado y colóquelas en un molde rectangular bajo; agregue la crema, cubra con los frutos de bosque y repita la operación formando otra capa.

Termine con la crema y decore al gusto.

Corazón de fresa con chocolate

Ingredientes para 4 porciones ■

50 g de chocolate amargo al 70%
1 cucharada de crema
70 g de mermelada de fresas
100 g de chocolate para
repostería al 50%
80 g de mantequilla
2 huevos
70 g de azúcar
20 g de harina blanca "00" o
de primera calidad, cernida

Preparación 15 minutos ■
Cocción 25 minutos ■
Grado de dificultad medio ■

Derrita el chocolate extra amargo al 70% con la crema en el microondas o a baño María y agregue la mermelada de fresas; mezcle hasta integrar por completo y vierta en un molde, deje cuajar en el congelador. Derrita el chocolate al 50% restante con la mantequilla y deje enfriar.

Mientras tanto, bata los huevos con el azúcar, agregando la harina poco a poco. En cuanto la mezcla esté espumosa, agregue el chocolate y la mantequilla derretidos y mezcle.

Vierta en 4 moldes antiadherentes hasta 2/3 partes, coloque un poco de la mezcla congelada, dándole forma redonda con las manos, y cubra con un poco más de la masa. Hornee a 200°C (400°F) alrededor de 12 minutos y desmolde los postres en cuanto estén tibios.

Consejo del pastelero

En otoño e invierno puede sustituir la mermelada de fresa con crema de castañas o avellanas, junto con una base de chocolate o crema batida. Para un efecto de color sorprendente utilice para el relleno el chocolate blanco, de modo que, abriendo el dulce, salga caliente.

Pudín de chocolate
con leche y ron

Ingredientes para 6 porciones ■

200 ml de crema
300 ml de leche
3 yemas de huevo
80 g de azúcar
1 cucharada de ron añejo
20 g de cocoa en polvo sin azúcar
200 g de chocolate de leche
3 hojas (6 g) de grenetina

Preparación 30 minutos ■
Cocción 15 minutos ■
Grado de dificultad fácil ■

En una olla hierva la crema con la leche. Mientras tanto, bata las yemas con el azúcar, añada el ron y la cocoa. Triture el chocolate y derrítalo en la mezcla de leche con crema caliente.

Ablande la grenetina en agua fría, exprímala e integre con la mezcla de crema. Deje entibiar y vierta la mezcla sobre las yemas mezclando con ayuda de un batidor globo.

Cubra un molde con plástico adherente y vierta la mezcla. Deje reposar en el refrigerador durante una hora. Invierta el pudín sobre un platón y sirva.

Consejo del pastelero

Puede acompañar el pudín con crema batida o salsas dulces, en particular con crema inglesa (vea la receta en la página 30), zabaione o un coulis de fruta fresca (vea la receta en la página 32).

Copas chantilly
con galletas de almendra al chocolate

Ingredientes para 4 porciones ■

4 yemas de huevo
125 g de azúcar
1 sobre de vainillina o 1/2 cucharadita
de extracto de vainilla
50 g de harina blanca "00" o
de primera calidad, cernida
1/2 litro de leche entera
50 ml de crema para batir
150 g de chocolate amargo
para repostería

Para decorar
16 soletas
70 g de chocolate amargo para
repostería
1 puño de piñones

Preparación 25 minutos ■
Cocción 25 minutos ■
Grado de dificultad medio ■

En un tazón, bata las yemas con ayuda de un batidor globo, agregando poco a poco el azúcar y la vainillina. Agregue la harina y mezcle. Hierva la leche y viértala sobre la mezcla preparada, revolviendo; coloque todo sobre fuego lento durante 5 minutos, hasta que espese. Vierta la mezcla en un tazón y deje enfriar.

Mientras tanto, bata la crema y guárdela en el refrigerador. Derrita los 70 g de chocolate en un tazón a baño María y glasee las galletas.

Cuando la crema esté fría, incorpórela con cuidado a la mezcla de yemas con ayuda de una cuchara de madera y llene copas pequeñas. Decore con los 150 g de chocolate derretido y los piñones; acompañe con las galletas.

Cassatina a la menta
con salsa de chocolate

Ingredientes para 4 ó 6 porciones ▪

1/2 kg de queso ricotta
1 cucharada de miel de acacia
2 cucharadas de azúcar glass
50 g de naranja cristalizada, cortada
en trozos pequeños
30 g de limón amarillo cristalizado,
cortado en trozos pequeños
50 g de almendras
ralladura de 1 naranja sin cera
1 manojo de hojas de menta,
finamente picadas

Para la salsa
250 ml de crema
1 cucharada de azúcar
1 cucharada de miel de acacia
30 ml de leche
50 g de cocoa en polvo sin azúcar
100 g de chocolate amargo al 70%

Preparación 30 minutos ▪
Cocción 15 minutos ▪
Grado de dificultad medio ▪

Pase el queso ricotta por un colador para eliminar eventuales grumos, agregue la miel, el azúcar glass, la naranja y el limón amarillo cristalizados, las almendras tostadas, una cucharadita de ralladura de naranja rallada y la menta. Coloque el queso ricotta aromatizado en tazones individuales, forrados con plástico adherente, refrigere.

Mientras, caliente la crema con el azúcar, la miel y la leche. Al primer hervor agregue la cocoa y el chocolate y, con la ayuda de un batidor, mezcle todo hasta que esté completamente disuelto. Desmolde la cassatina en el centro del plato en el que anteriormente habrá vertido la salsa y decore al gusto.

Consejo del pastelero
Para variar la receta pueden aromatizar la salsa con 2 cucharaditas de semillas de ajonjolí tostadas, recuerde colar la mezcla antes de servirla.

Bavarese blanca a la frambuesa

Ingredientes para 4 porciones ■

200 ml de leche
1 vaina de vainilla
170 g de chocolate blanco
2 hojas (4 g) de grenetina
2 yemas de huevo
150 g de azúcar
250 ml de crema para batir
1 canastilla (125 g) de frambuesas

Preparación 20 minutos ■
Cocción 15 minutos ■
Grado de dificultad fácil ■

Caliente la leche en una olla y ponga en ella la vaina de vainilla cortada a lo largo con un cuchillo de hoja lisa. Deje entibiar y quite las semillas de la vaina, colocándolas en el líquido caliente.

Pique el chocolate y derrita en la mezcla de leche, mezclando con frecuencia. Deje remojar la grenetina en agua fría y exprima; disuélvala en la leche y el chocolate. Bata las yemas con el azúcar y, cuando estén espumosas, vierta sobre ellas la leche y el chocolate caliente batiendo con ayuda de un batidor globo; deje enfriar.

Mientras tanto, bata la crema y agréguela a la mezcla ya tibia, mezclando suavemente. Agregue las frambuesas y vierta en un molde forrado con plástico adherente. Refrigere la bavaresa alrededor de 3 horas y sirva cortada en rebanadas.

Pudín de chocolate y merengue

Ingredientes para 6 porciones ■

3 yemas de huevo
3 cucharadas de cocoa en
polvo sin azúcar
80 g de azúcar
200 ml de leche entera
1 sobre de vainillina o 1 cucharadita
de extracto de vainilla
2 hojas (4 g) de grenetina
150 ml de crema para batir
40 g de merengue

Preparación 20 minutos ■
Cocción 10 minutos ■
Grado de dificultad fácil ■

En un tazón bata las yemas con la cocoa y el azúcar. Mientras tanto, hierva la leche con la vainillina y viértala sobre las yemas sin dejar de mezclar.

Remoje la grenetina en agua fría, exprímala y disuélvala en la masa de los huevos y la leche. Deje enfriar y agregue suavemente, con ayuda de una espátula o una cuchara de madera, la crema batida a punto de nieve muy firme.

Desmorone los merengues y divídalos en 6 moldes individuales pequeños; vierta en cada uno la mezcla obtenida y refrigere. Desmolde pasando un cuchillo húmedo por la orilla para despegar el pudín del molde e invierta directamente sobre el plato.

Copa de frutos rojos y zabaione
al chocolate blanco

Ingredientes para 4 porciones ■

4 yemas de huevo
2 cucharadas de azúcar
70 g de chocolate blanco
200 g de frutos rojos mixtos
(frambuesas, moras, grosellas,
arándanos y fresas)

Preparación 20 minutos ■
Cocción 15 minutos ■
Grado de dificultad fácil ■

En una olla caliente agua y coloque dentro de ella un tazón de vidrio o acero para la cocción a baño María. Ponga las yemas directamente en el tazón y agrégueles el azúcar; mezcle enérgicamente con ayuda de un batidor globo para integrarles aire.

Derrita el chocolate blanco y agréguelo a la mezcla de yemas en cuanto hayan duplicado su volumen. Lave los frutos rojos, séquelos suavemente y colóquelos en 4 copas para martini. Cubra con el zabaione y sirva.

Consejo del pastelero

Para variar la preparación puede sustituir el chocolate blanco por la misma cantidad de chocolate de leche como lo indica la receta.

Vasos tricolores
al chocolate aromático

Ingredientes para 6 porciones ■

160 g de chocolate amargo
de repostería con canela
200 ml de crema para batir
30 g de miel de abeja
40 g de mantequilla,
a temperatura ambiente
150 g de chocolate de leche
150 g de chocolate blanco
canela en polvo

Para decorar
50 ml de crema para batir
chocolates amargos en forma de
troncos pequeños

Preparación 30 minutos ■
Cocción 15 minutos ■
Grado de dificultad fácil ■

Prepare una ganache derritiendo el chocolate amargo para repostería a baño María y agregando, lejos de la flama, 100 ml de crema tibia. Mezcle y agregue la miel y la mantequilla. Ponga en el refrigerador para cuajar durante una hora, mezclando de vez en cuando con una cuchara de madera.

Mientras tanto, derrita por separado a baño María el chocolate de leche y el blanco. Bata la crema restante a punto de nieve, incorpore la mitad a cada chocolate derretido ya tibio.

Vierta en el fondo de pequeños vasos transparentes una cucharada de ganache y póngalo otra vez en el refrigerador para que se cuaje.

Tome los vasos y forme una capa de la mezcla de chocolate blanco. Deje cuajar, vierta la mezcla de chocolate de leche y espolvoree con un poco de canela. Refrigere nuevamente durante 20 minutos.

Decore su postre con rizos de crema batida, ayudándose con una manga para repostería con punta acanalada y con los troncos de chocolate; sirva de inmediato.

Sopa inglesa en copa con chocolate

Ingredientes para 4 porciones ◾

80 g de azúcar
200 ml de agua
4 cucharadas de licor de Alchermes
200 g de pastel esponja
70 g de chocolate amargo para
repostería

Para la crema
2 yemas de huevo
60 g de azúcar
30 g de harina blanca "00" o de
primera calidad, cernida
1 sobre de vainillina o 1 cucharadita
de extracto de vainilla
250 ml de leche

Preparación 35 minutos ◾
Cocción 20 minutos ◾
Grado de dificultad fácil ◾

Bata las yemas con el azúcar hasta obtener una mezcla suave y clara. Agregue la harina y la "vanillina" cernidas. Caliente en una olla la leche y viértala sobre la crema previamente obtenida. Ponga nuevamente en el fuego y deje cuajar la crema pastelera a fuego lento alrededor de 5 minutos.

Disuelva el azúcar con el agua muy caliente, agregue el licor Alchermes y deje enfriar. Remoje el pastel esponja con el jarabe preparado. Derrita el chocolate a baño María.

Arme su sopa inglesa alternando la crema pastelera, el pastel y el chocolate derretido. Deje reposar durante 2 horas en el refrigerador antes de servir.

Semifreddo de ricotta
y panettone

2 yemas
20 g de azúcar
60 g de panettone
100 ml de leche
1 sobre de vainillina o 1 cucharadita
de extracto de vainilla
150 g de queso ricotta
1 1/2 hojas (3 g) de grenetina
2 cucharadas de brandy
60 ml de crema para batir

Para la salsa
30 ml de crema fresca
50 g de chocolate amargo para repostería

Preparación 25 minutos ■
Cocción 5 minutos ■
Grado de dificultad fácil ■

Vierta las yemas y el azúcar en un procesador de alimentos, agregue el panettone remojado en la leche y la vainillina. Licue hasta obtener una crema, agregue el queso ricotta y, por último la grenetina, remojada en agua fría, exprimida y disuelta en el brandy.

Bata la crema, incorpórela con cuidado a la masa preparada y rellene moldes individuales. Deje cuajar en el refrigerador durante 2 horas. Derrita el chocolate amargo con la crema y sirva el postre cubierto con esta salsa de chocolate.

Consejo del pastelero
Cuando bata la crema, evite que supere los 5-6°C (41-43°F) y, si utiliza un batidor globo, trabájela muy despacio para incorporarle aire y obtener una mezcla más consistente.

Pastel a la crema de chocolate,
café y almendras

Ingredientes para 6 porciones ■

6 yemas de huevo
150 g de mantequilla
140 g de azúcar glass
200 ml de vino Marsala
2 hojas (4 g) de grenetina
100 g de crema batida
100 g de chocolate amargo,
en hojuelas
1/2 taza de café ristretto frío
100 g de almendras, tostadas y
picadas
200 g de soletas
200 g de galletas de almendras
(amaretti)

Para decorar
chocolate amargo, en hojuelas

Preparación 30 minutos ■
Cocción 10 minutos ■
Grado de dificultad medio ■

Mezcle las yemas, la mantequilla y el azúcar glass hasta obtener una crema muy suave y aterciopelada. Hierva 100 ml de vino Marsala y agregue la mezcla de yemas. Añada la grenetina remojada en agua fría y exprimida y, por último, la crema batida.

Divida la mezcla en tres partes, una de las tres más abundante que las otras. A la primera agregue el chocolate; a la segunda el café ristretto vertiéndolo poco a poco para que la crema no quede demasiado líquida; y a la tercera las almendras.

Corte las soletas a la mitad, remójelas en el Marsala restante, aplástelas ligeramente y colóquelas en el plato. Extienda la primera parte de crema sobre las soletas y cubra con las galletas de almendra (amaretti) remojados en Marsala. Extienda la segunda parte de crema y luego las soletas; por último, cubra todo con la crema restante. Refrigere por lo menos durante 3 horas. Sirva el pastel frío, decorando con hojuelas de chocolate.

Mousse de chocolate de leche

Ingredientes para 6 porciones ■

150 g de chocolate de leche
3 cucharadas de azúcar
8 cucharadas de agua
2 claras de huevo
2 hojas de grenetina
2 cucharadas de café soluble
400 ml de crema para batir

Preparación 20 minutos ■
Cocción 5 minutos ■
Grado de dificultad medio ■

Corte en rizos 20 g de chocolate y reserve para decorar, trocee el restante. Caliente el azúcar un una olla con 6 cucharadas de agua y cocine hasta obtener un jarabe espeso. En cuanto suelte el hervor, retire del fuego.

Bata las claras de huevo y agregue el jarabe en forma de hilo. Siga batiendo hasta que la mezcla se haya enfriado. Remoje la grenetina en agua fría y disuelva el chocolate a baño María.

Caliente 2 cucharadas de agua con el café y disuelva en él la grenetina, vierta sobre la mezcla de claras batidas y agregue el chocolate derretido. Bata la crema e incorpórela a la mezcla de chocolate, vierta en 6 tazas grandes y deje espesar en el refrigerador tapando con plástico adherente. Decore con rizos de chocolate.

Consejo del pastelero

Agregue las claras batidas poco a poco, para obtener gradualmente la textura ideal de la espuma.

Bavarese al café
con salsa de dos chocolates

Ingredientes para 6 porciones ■

6 hojas (12 g) de grenetina
1/2 litro de leche
granos de café
4 yemas de huevo
150 g de azúcar
80 ml de café ristretto
100 ml de crema para batir
40 ml de brandy

Para la salsa
100 g de chocolate blanco
100 g de chocolate amargo para repostería
100 ml de crema batida
1 cucharada de café en polvo
(molido fino)

Preparación 20 minutos ■
Cocción 15 minutos ■
Grado de dificultad fácil ■

Remoje la grenetina en agua fría y, mientras tanto, lleve a ebullición la leche con algunos granos de café. Bata las yemas con el azúcar, agregue poco a poco la leche caliente y el café ristretto, caliente la mezcla a fuego lento, mezclando constantemente.

Cueza hasta que la crema deje una capa delgada en la cuchara y empiece a espesar. Agregue la grenetina exprimida y mezcle hasta que se disuelva por completo.

Bata la crema y agréguela a la mezcla. Remoje con el licor 6 moldes individuales, vierta en ellos la mezcla y refrigere por lo menos durante 4 ó 5 horas.

Corte en trozos muy pequeños los dos tipos de chocolate y derrítalos por separado a baño María, agregando a cada uno la mitad de la crema batida. Sirva la bavaresa con la salsa a los dos chocolates y espolvoree con café en polvo.

Mousse al chocolate blanco
y gelatina de limón

Ingredientes para 8 porciones ■

250 g de chocolate blanco, picado
150 ml de crema para batir
2 claras de huevos
1 limón amarillo sin cera
2 hojas (4 g) de grenetina,
remojadas en agua fría
sal

Para la gelatina
22 limones amarillos
1 cucharada de azúcar
1 cucharadita de agar agar
(o una hoja de grenetina)

Preparación 25 minutos ■
Cocción 10 minutos ■
Grado de dificultad medio ■

Derrita a baño María o en el microondas el chocolate. Bata la crema y, en otro tazón, las claras de huevo con una pizca de sal.

Ralle la cáscara de un limón y agregue 5 cucharadas de jugo de limón colado; caliéntelo levemente y disuelva las 2 hojas de grenetina exprimidas.

Incorpore la crema batida al chocolate, deje entibiar, agregue el jugo de limón y las claras de huevo batidas, mezclando con movimiento envolvente.

Vierta la mezcla en un tazón limpio, cubra con plástico adherente y deje cuajar en el refrigerador.

Mientras tanto, exprima los otros 2 limones, agregue 3 cucharadas de agua y el azúcar, caliente en una olla y disuelva el agar agar o la grenetina remojada; cuele y vierta en moldes pequeños (de preferencia de silicón). Deje espesar en el refrigerador. Sirva el mousse en cucharadas con la gelatina cortada en trozos.

Bavarese al chocolate blanco
Y JAZMÍN

Ingredientes para 4 porciones ■

3 hojas (6 g) de grenetina
250 ml de leche,
sal
60 g de flores frescas de jazmín
1 vaina de vainilla, partida
longitudinalmente a la mitad
3 yemas de huevo
50 g de azúcar
100 g de chocolate blanco, cortado
en hojuelas
300 ml de crema para batir

Para la salsa
100 ml de leche
50 g de azúcar
jarabe de menta

Para decorar
flores frescas de jazmín

Preparación 25 minutos ■
Cocción 10 minutos ■
Grado de dificultad fácil ■

Remoje la grenetina en agua fría. Lleve a ebullición la leche con las flores de jazmín, una pizca de sal y una vaina de vainilla.

En un tazón bata las yemas con el azúcar, agregue la leche caliente y deje cocer, mezclando, hasta que la crema deje una capa delgada en la cuchara. Pase la mezcla por un colador e integre a la crema caliente el chocolate y la grenetina exprimida. Mezcle hasta que todo se haya derretido y deje entibiar.

Bata la crema e incorpórela a la mezcla; vierta en 4 moldes individuales y refrigere.

Acompañe la bavarese con una salsa fría de menta preparada hirviendo la leche con el azúcar y agregando el jarabe de menta. Decore con flores frescas de jazmín.

Sfogliato con semillas de amapola
y mousse de chocolate blanco

Ingredientes para 4 porciones ■

100 g de mantequilla
100 g de azúcar glass
100 g de harina blanca "00" o de
primera calidad, cernida
100 g de glucosa
1 cucharada de semillas de amapola

Para el mousse
230 ml de crema para batir
130 g de chocolate blanco
1 yema de huevo

Para la salsa
1/2 taza de crema fresca
1/2 taza de leche entera
40 ml de café exprés

Preparación 20 minutos ■
Cocción 5 minutos ■
Grado de dificultad medio ■

Prepare la pasta poniendo en un tazón la mantequilla con el azúcar y la harina hasta formar una mezcla homogénea. Agregue la glucosa, amase y refrigere alrededor de 30 minutos.

Saque la masa del refrigerador y corte esferas del tamaño de una nuez; cúbralas con las semillas de amapola y acomódelas en una charola para hornear cubierta con papel encerado para hornear. Hornee a 180°C (360°F) alrededor de 5 minutos. Retire del horno y deje enfriar.

Bata la crema y agregue el chocolate derretido, mezclando suavemente con movimiento envolvente, teniendo cuidado de que no se baje la mezcla. Agregue la yema con mucho cuidado, y reserve en el refrigerador entre 20 y 30 minutos, para que espese.

Coloque una cucharada de mousse en el centro del plato y cubra con un círculo de galleta, siga alternando otra vez el mousse y la galleta. Coloque en el plato la salsa de leche y café, obtenida al reducir a fuego lento todos los ingredientes indicados y dejándolos enfriar. Coloque el pastel sobre la salsa.

Conchas de chocolate
con salsa de vainilla y plátanos

Ingredientes para 4 porciones ■

200 g de chocolate amargo
para repostería
1 plátano maduro
30 g de mantequilla
1 cucharada de azúcar
ron añejo

Para la salsa
1100 ml de leche
1 vaina de vainilla
50 ml de crema para batir
1 cucharada de azúcar glass

Preparación 30 minutos ■
Cocción 15 minutos ■
Grado de dificultad medio ■

Derrita el chocolate y viértalo en 4 moldes pequeños con forma de concha, eliminado excedente. Deje cuajar en un lugar fresco.

Mientras tanto, coloque un tazón pequeño en el fuego con la leche y la vainilla cortada longitudinalmente a la mitad y, en cuanto suelte el hervor, retire del fuego y deje en infusión durante 20 minutos. Cuele y agregue la crema semi-batida y el azúcar glass cernido. Deje enfriar en el refrigerador.

Corte el plátano en rodajas y caliente la mantequilla en una sartén antiadherente; rocíe el fondo de la sartén con el azúcar y, en cuanto empiece a caramelizarse, agregue la fruta rebanada, sofría ligeramente, añada el ron y deje que se evapore. Sirva el plátano caramelizado aún caliente en las conchas de chocolate previamente cubiertas hasta la mitad con la salsa de vainilla bien fría.

Semifreddo de galletas de almendras
con fondue de chocolate

Ingredientes para 4 porciones ■

5 huevos, separados
80 g de azúcar
200 g de galletas de almendra
(amaretti)
400 ml de crema para batir

Para decorar
4 galletas de almendra
pequeñas (amaretti)
200 g de chocolate
amargo para repostería

Preparación 20 minutos ■
Cocción 5 minutos ■
Grado de dificultad fácil ■

Bata las yemas con el azúcar hasta obtener una crema ligera y espumosa; desmorone las galletas de almendra (amaretti) y agréguelas a la mezcla de yemas y azúcar. En un tazón bata la crema e incorpórela suavemente a la mezcla preparada. Bata las claras a punto de nieve e integre con la mezcla.

Vierta en moldes individuales y póngalos en el congelador alrededor de 7 u 8 horas. Desmolde el postre y sirva decorando con una galleta de almendra y un poco de chocolate derretido a baño María.

Consejo del pastelero

Puede agregar a la mezcla algunas galletas de almendra (amaretti) enteras u hojuelas de chocolate, al gusto.

Laberinto en vaso

6 huevos
200 g de azúcar
170 g de harina blanca "00" o de
primera calidad, cernida
30 g de cocoa en polvo
sin azúcar, cernida

Para el laberinto
250 ml de leche
1/2 vaina de vainilla
12 yemas de huevo
250 g de azúcar
6 1/2 hojas (13 g) de grenetina,
remojadas en agua fría
1/2 litro de crema para batir

Para el mousse
350 g de crema inglesa
300 g de chocolate amargo al 71%
1/2 litro de crema para batir

Preparación 40 minutos ■
Cocción 20 minutos ■
Grado de dificultad difícil ■

Para preparar la base del postre, bata los huevos y el azúcar a fuego lento; agregue la harina y la cocoa usando movimiento envolvente. Vierta 3/4 partes de la mezcla obtenida en un molde engrasado con mantequilla y cueza a 190-200°C (375-400°F) durante 20 minutos. Retire del horno, deje enfriar y haga unos discos con ayuda de un cortador de pasta pequeño, sin fondo.

Para preparar el laberinto hierva la leche con la vaina de vainilla cortada longitudinalmente a la mitad y cuele. En un tazón mezcle las yemas con el azúcar y vierta la leche; cueza mezclando hasta obtener una temperatura de 85°C (185°F). Retire del fuego y agregue la grenetina exprimida. Cuando la mezcla registre una temperatura de 28°C (82°F), añada la crema semi-batida.

Para preparar el mousse, caliente la crema inglesa (vea la receta en la página 30) hasta una temperatura de 28°C (82°F), agregue el chocolate derretido a baño María y la crema batida y mezcle hasta integrar por completo. Arme el postre virtiendo en un vaso, con ayuda de una manga para repostería, una base de laberinto de vainilla, un disco de galleta y, por último, el mousse de chocolate. Decore al gusto.

Crepas de amaretto
con salsa de chocolate

Ingredientes para 4 porciones ■
75 g de harina blanca "00" o de primera
calidad, cernida
2 g de polvo para hornear
45 g de azúcar
1 huevo
120 ml de licor de Amaretto
125 ml de leche
125 ml de crema fresca

Para el relleno
30 g azúcar
12 g de mantequilla
20 g de almendras fileteadas
2 peras, partidas en cubos pequeños
20 ml de brandy
12 galletas de almendra (amaretti),
desmoronadas

Para la salsa
140 g de chocolate amargo
para repostería
12 g de glucosa
50 ml de crema fresca

Preparación 20 minutos ■
Cocción 30 minutos ■
Grado de dificultad medio ■

Mezcle la harina con el polvo para hornear, el azúcar y el huevo; agregue el licor, la leche y la crema y bata con cuidado para que no se formen grumos. Filtre con ayuda de un colador chino y refrigere durante 15 minutos.

Prepare las crepas vertiendo poco a poco una cucharada de mezcla en un sartén pequeño engrasado con mantequilla; cueza hasta que se despegue de la sartén, voltéelas y cueza durante un minuto más.

Caramelice el azúcar con la mantequilla y las almendras; agregue las peras, sofría, flamee con el brandy y retire del fuego; agregue las galletas de almendra.

Derrita a baño María el chocolate, agregue la glucosa y, lejos del fuego, la crema batida a punto de nieve; deje enfriar.

Rellene cada crepa con la mezcla de peras y cierre haciendo un costal pequeño; espolvoree con azúcar glass y deje gratinar durante 5 minutos a 200°C (400ºF). Acompañe con la salsa de chocolate fría. Decore, al gusto, con azúcar glass, chocolate y peras.

CHANTILLY AL ZABAIONE
CON GALLETAS WAFERS A LOS DOS CHOCOLATES

Ingredientes para 6 porciones ■

100 g de chocolate blanco
100 g de chocolate amargo
para repostería
4 wafers rellenas de chocolate
4 wafers rellenas de vainilla
6 yemas de huevo
120 g de azúcar
15 g de almidón de arroz o de maíz
250 ml de vino Marsala
400 ml de crema para batir

Preparación 20 minutos ■
Cocción 15 minutos ■
Grado de dificultad fácil ■

Derrita por separado a baño María el chocolate blanco y el amargo. Coloque los dos tipos de chocolate derretido en vasos estrechos y altos, sumerja la mitad de los wafers de leche y de cacao en el chocolate y deje cuajar en un lugar fresco.

Mezcle las yemas con el azúcar, batiéndolos ligeramente; agregue el almidón de arroz y el Marsala tibio. Ponga la mezcla en el fuego y cocine a fuego lento, mezclando ligeramente con ayuda de un batidor globo, hasta que la mezcla esté espesa y espumosa. Retire del fuego y deje enfriar.

Agregue poco a poco la crema previamente batida, usando movimiento envolvente, y vierta la mezcla obtenida en los vasos pequeños; refrigere. Para servir, retire los vasos del refrigerador y acompañe si lo desea con crema chantilly y con los wafers cubiertos de los dos chocolates.

Petit pot al chocolate de leche

Ingredientes para 6 porciones ▪

375 ml de leche fresca
1/2 vaina de vainilla
70 g de chocolate de leche, troceado
150 ml de crema
3 yemas de huevo
100 g de azúcar

Para decorar
4 cucharadas de cocoa en polvo sin azúcar
crema para batir
azúcar
30 g de chocolate amargo para repostería, rallado

Preparación 30 minutos ▪
Cocción 35 minutos ▪
Grado de dificultad fácil ▪

En una olla caliente la leche con la vainilla cortada longitudinalmente a la mitad y deje en infusión durante 10 minutos. Agregue el chocolate y la crema, elimine la vainilla.

En un tazón bata las yemas con el azúcar con ayuda de un batidor globo. Vierta la mezcla de yemas en la mezcla de la leche y mezcle. Divida en 6 refractarios individuales de cerámica llenándolos hasta 3/4 partes de su capacidad y colóquelas en una charola con bordes con agua para cubrir las tazas hasta la mitad.

Hornee a 170°C (340ºF) durante 30 minutos, hasta que la superficie esté elástica. Deje enfriar las tazas y espolvoréelas con cocoa; decore con un poco de crema batida con el azúcar y con el chocolate rallado.

Sorbete de jengibre
Y CHOCOLATE BLANCO

Ingredientes para 4 porciones ■

175 g de azúcar
150 g de chocolate blanco, troceado
1 cucharadita de
jengibre fresco, rallado

Para decorar
grosellas
jengibre fresco, cortado
en juliana muy fina

Preparación 20 minutos ■
Cocción 15 minutos ■
Grado de dificultad medio ■

Caliente 1/2 litro de agua en una olla con el azúcar. Cuando el azúcar se haya disuelto por completo suba el fuego y, en cuanto suelte el hervor, retírelo. Agregue el chocolate, el jengibre y mezcle hasta integrar por completo y obtener una crema homogénea.

Coloque otra vez sobre el fuego, mezclando hasta que suelte el hervor; retire del fuego, sumerja la olla en agua con hielo para que se enfríe con rapidez. Vierta en un tazón para helados y revuelva. Colóquelo en un tazón refractario y déjelo en el congelador durante toda la noche.

Si no tiene un tazón para helados puede poner el sorbete en el congelador durante algunas horas, sacándolo cada media hora y raspándolo con ayuda de una cuchara para que no se haga un bloque de hielo. Al servir forme unas bolas pequeñas con la mezcla preparada y acompáñelas con las grosellas y el jengibre.

Chocolate caliente con especias

Ingredientes para 4 porciones ■

1/2 litro de leche entera
1 raja de canela
1/2 vaina de vainilla
anís estrella
30 g de almendras
100 g de chocolate de leche

Preparación 5 minutos ■
Cocción 10 minutos ■
Grado de dificultad fácil ■

En una olla pequeña caliente la leche con la canela, la vaina de vainilla cortada a lo largo, y el anís estrella; agregue las almendras tostadas y fileteadas.

Antes de que hierva la mezcla, retire del fuego y deje los aromas en infusión entre 10 y 15 minutos.

Corte finamente el chocolate; cuele la leche y disuelva en ella el chocolate. Póngalo otra vez sobre el fuego. Mezcle muy seguido con un batidor y sirva el chocolate bien caliente en vasos de porcelana o tazas pequeñas de vidrio.

Consejo del pastelero

Para terminar su postre de chocolate, bata un poco de crema para batir y agréguela a los vasos poco antes de servir; espolvoree con un poco de nuez moscada molida.

Tiramisú al chocolate en vaso

Ingredientes para 4 porciones ■

8 soletas
100 ml de rompope (licor de huevo)
80 g de chocolate de leche
4 cucharadas de crema fresca
4 yemas de huevo
2 cucharadas de azúcar
1 cucharada de vino Marsala dulce
60 g de queso mascarpone

Para decorar
1 cucharada de café soluble
barquillos (opcional)

Preparación 40 minutos ■
Cocción 20 minutos ■
Grado de dificultad fácil ■

Corte las soletas a la mitad, remójelas en el rompope y colóquelas en el fondo de los vasos de manera vertical, para que se adhieran a los lados. Derrita el chocolate en el microondas o a baño María con la crema y viértalo tibio en los vasos.

Bata las yemas y el azúcar en un tazón a baño María (es mejor si la cocción es al vapor); mezclando continuamente, hasta triplicar el volumen de la mezcla. En cuanto la mezcla tome forma, agregue el vino Marsala dulce y siga mezclando.

Retire del fuego y sumerja en agua fría con hielo para detener la cocción. Incorpore el queso mascarpone y llene los vasos. Deje reposar durante 5 minutos, espolvoree con el café en polvo y, si lo desea, decore con barquillos.

Mil hojas con crema chantilly,
chocolate blanco y cerezas negras

Ingredientes para 4 porciones ■

125 ml de leche
1/4 de vaina de vainilla
2 yemas de huevo
50 g de azúcar
15 g de harina blanca "00" o de
primera calidad, cernida
1/2 litro de crema para batir
1 paquete de pasta de
10 banderillas de hojaldre con azúcar
caramelizada pequeñas

Para decorar
100 g de chocolate blanco,
en hojuelas
20 cerezas en almíbar

Preparación 20 minutos ■
Cocción 5 minutos ■
Grado de dificultad fácil ■

Prepare una crema pastelera calentando la leche con la vaina de vainilla cortada longitudinalmente a la mitad. En un tazón, bata las yemas con el azúcar, agregue la harina y la leche caliente colada. Coloque nuevamente sobre el fuego, mezclando hasta que empiece a tomar consistencia. Cubra con un plástico adherente y deje enfriar.

Bata la crema a punto de nieve y agréguela a la mezcla fría; coloque la mezcla en una manga para repostería con punta lisa.

En un plato arme la base del postre colocando las banderillas de hojaldre; cúbrala con la crema de chocolate blanco, forme otra capa idéntica.

Decore la superficie con las cerezas negras y unas gotas de su propio jarabe.

Frappé *a* los dos chocolates

Ingredientes para 4 porciones ■

200 g de helado de chocolate blanco
20 cubos de hielo
200 ml de leche entera
200 g de helado chocolate de leche
4 cucharadas de crema batida
chocolate rallado

Preparación 15 minutos ■
Grado de dificultad medio ■

Licue en un procesador de alimentos el helado de chocolate blanco con la mitad del hielo y la mitad de la leche y vierta en 4 vasos altos. Repita a operación con el helado de chocolate de leche.

Vierta la primera malteada sobre la segunda, dejando caer la mezcla no directamente sobre la capa inferior, sino en la parte trasera de una cuchara recargada en el interior del vaso, para no revolver demasiado las dos mezclas.

Llene los vasos, decore con crema batida y el chocolate rallado al gusto, sirva de inmediato.

Consejo del pastelero

Para preparar una malteada de un solo color, puede sustituir el helado de chocolate de leche por 200 ml de yogurt natural.

Salsa de chocolate
con nieve de moras

Ingredientes para 4 porciones ■

5 cucharadas de azúcar
30 g de almendras fileteadas
200 g de nieve de moras

Para la salsa
2 cucharadas de leche entera
2 cucharadas de cocoa en polvo sin azúcar
60 ml de crema
100 g de chocolate blanco, troceado

Preparación 20 minutos ■
Cocción 10 minutos ■
Grado de dificultad fácil ■

En una olla pequeña coloque el azúcar con un poco de agua y deje caramelizar sin revolver. Tueste las almendras en una sartén antiadherente, colóquelas sobre papel encerado para hornear; vierta sobre el caramelo y extienda con ayuda de una espátula sobre una charola engrasada con mantequilla. Deje endurecer la palanqueta en un lugar fresco.

Caliente la leche con la cocoa y viértala en la crema; caliente la mezcla y disuelva el chocolate blanco. Mezcle hasta obtener una salsa líquida y tibia y viértala en 4 copas o tazas pequeñas de vidrio.

Sirva cubriendo cada taza con la palanqueta de almendra partida y poniendo una bola de nieve de moras en la superficie.

Consejo del pastelero
Para disfrutar más este postre, rompa la palanqueta colocada sobre la taza para que el helado de moras se deslice en la salsa de chocolate.

GRANITA DE COCO
EN SALSA DE CHOCOLATE

Ingredientes para 4 porciones ■

400 ml de leche de coco dulce
80 g de chocolate de leche
50 ml de crema
250 ml de coco fresco,
cortado en láminas

Preparación 15 minutos ■
Cocción 5 minutos ■
Grado de dificultad fácil ■

Vierta la leche de coco (si no es dulce, azucárela) en un tazón grande de acero y póngalo en el congelador durante 2 horas, teniendo cuidado de mezclarlo con una batidora eléctrica cada 30 minutos.

Mientras tanto, derrita a baño María o en el microondas el chocolate con la crema y deje entibiar, mezclando continuamente.

Corte finamente el coco en tiras. Sirva la salsa de chocolate en 4 vasos, cubra con las tiras de coco y la granita de coco.

CONSEJO DEL PASTELERO
En vez de preocuparse por mezclar la leche cada media hora, puede dejar reposar en el congelador y licuar justo antes de utilizarlo.

Mousse DE CHOCOLATE,
RON Y MENTA

8 hojas de menta, picadas
1 cucharada de azúcar granulada
80 g de chocolate de leche
60 g de chocolate amargo
para repostería
2 huevos
100 g de azúcar glass
2 cucharadas de ron
8 cucharadas de aceite de
oliva extra virgen

Para decorar
violetas cristalizadas

Preparación 20 minutos ■
Cocción 10 minutos ■
Grado de dificultad fácil ■

Mezcle la menta con una cucharada de azúcar y reserve. Pique los dos chocolates, colóquelos juntos en un tazón y derrítalos a baño María.

Bata las yemas con el azúcar glass (reserve las claras) hasta que estén claras y esponjosas, agregue la menta picada y el ron. Añada el chocolate derretido y el aceite de oliva; mezcle con una batidora eléctrica.

Bata las claras a punto de nieve y agréguelas a la crema poco a poco, mezclando con movimiento envolvente. Distribuya en vasos individuales y refrigere durante varias horas, sirva el mousse decorado con violetas cristalizadas.

CRÈME BRÛLÉE AL CHOCOLATE

Ingredientes para 6 porciones ■

2 yemas de huevo
3 cucharadas de azúcar
1 cucharadita de fécula de papa
2 gotas de esencia de avellana
100 ml de leche entera
200 ml de crema
80 g de chocolate amargo
para repostería
1 cucharada de azúcar, mascabado

Preparación 25 minutos ■
Cocción 15 minutos ■
Grado de dificultad fácil ■

En un tazón bata las yemas con el azúcar, la fécula y la esencia de avellana; vierta la leche y la crema entibiadas en el fuego. Caliente a baño María con mucho cuidado para que no hierva el agua; cueza hasta que la crema tenga una consistencia aterciopelada.

Pique el chocolate y agréguelo a la crema, viértala en 6 vasos de porcelana y deje enfriar. Conserve en el refrigerador.

A la hora de servir, espolvoree la superficie con el azúcar mascabado y deje gratinar en el horno a potencia máxima. Sirva de inmediato.

CONSEJO DEL PASTELERO

Para gratinar la Crème Brûlée, ponga los vasos en un refractario y vierta agua fría hasta alcanzar el borde de las vasos; de esta manera, el calor llega a la superficie sin calentar la crema.

Helado de chocolate
sobre tulipan de galleta y licor de vainilla

Ingredientes para 4 porciones ■

60 g de mantequilla
2 claras de huevo
60 g de azúcar glass
60 g de harina blanca "00" o de
primera calidad, cernida
1 cucharada de violetas secas
100 ml de licor cremoso de vainilla
300 g de helado de chocolate
de leche

Preparación 30 minutos ■
Cocción 6 minutos ■
Grado de dificultad medio ■

Derrita la mantequilla y déjela entibiar. Bata ligeramente las claras con el azúcar glass, agregue la mantequilla derretida y la harina cernida. Mezcle hasta integrar por completo y deje cuajar en el refrigerador durante 20 minutos.

Distribuya la mezcla sobre una hoja de papel encerado para hornear y, con ayuda de una cuchara, forme discos de 6 cm de diámetro. Espolvoree con algunas violetas secas y hornee a 200°C (400°F) cerca de 4 minutos, hasta que el borde de las obleas esté dorado. Despéguelas con una espátula y colóquelas encima de un vaso puesto de cabeza para darles forma de tulipán.

Coloque el licor de vainilla en el congelador durante 30 minutos. Viértalo en vasos bajos, coloque sobre el vaso un tulipán y sirva el helado de chocolate sobre él, decore al gusto con más violetas secas.

Consejo del pastelero

Si no encuentra violetas secas, tal vez sea más fácil encontrarlas confitadas. En este caso, en lugar de ponerlas en la mezcla, puede usarlas para decorar su postre.

Mousse DE COCO
Y CHOCOLATE BLANCO

Ingredientes para 6 u 8 porciones ■

2 hojas (4 g) de grenetina
250 g de chocolate blanco, picado
100 ml de crema batida
50 ml de leche de coco
5 cucharadas de batida de coco
(1 parte de leche de coco y 3 partes
de cachaza, azúcar)
2 claras de huevo
1 limón sin cera
sal

Preparación 20 minutos ■
Cocción 10 minutos ■
Grado de dificultad fácil ■

Remoje la grenetina en agua fría y caliente hasta disolver. Derrita el chocolate a baño María y, en cuanto esté tibio, incorpore la crema batida, la leche de coco tibia y la grenetina disuelta en la batida de coco.

Bata las claras a punto de nieve con una pizca de sal y revuelva la mezcla con ayuda de una cuchara de madera, mezclando con movimiento envolvente.

Ralle un poco de cáscara de limón sobre la mezcla y vierta en un tazón de vidrio, deje cuajar en el refrigerador. Sirva el mousse con una cuchara para helados decorando al gusto.

Consejo del pastelero

Este mousse se puede preparar también con chocolate amargo de excelente calidad, sustituyendo la batida de coco con ron y eliminando la cáscara de limón.

Ladrillo de fresas
y chocolate de avellana

Ingredientes para 4 porciones ◼

450 g de fresas
60 g de chocolate amargo
para repostería
70 g de chocolate con avellana
100 ml de crema fresca

Preparación 25 minutos ◼
Cocción 10 minutos ◼
Grado de dificultad fácil ◼

Lave las fresas y elimine el cáliz y las hojas; seque con cuidado y pique en trozos pequeños.

Derrita ambos chocolates a baño María o en el microondas junto con la crema. En cuanto la mezcla de chocolate se haya derretido, retire del fuego y deje enfriar.

Divida las fresas en 4 aros cilíndricos y cubra con la ganache de chocolate, deje enfriar en el refrigerador durante una hora, desmolde y sirva.

Consejo del pastelero

Puede condimentar las fresas con hojas de menta finamente picadas. Recuerde no azucarar las fresas para evitar que suelten agua.

CREMA AL QUESO MASCARPONE
Y CHOCOLATE

Ingredientes para 6 porciones ■

3 yemas de huevo
200 g de azúcar
200 g de mascarpone
1 chorrito de brandy
2 claras de huevo
60 g de chocolate amargo
para repostería
1 hoja (2 g) de grenetina,
remojada en agua fría

Preparación 20 minutos ■
Cocción 5 minutos ■
Grado de dificultad fácil ■

En un tazón bata las yemas con el azúcar hasta que estén claras y espumosas. Agregue el queso mascarpone y mezcle hasta integrar por completo y evitar que se formen grumos. Agregue el brandy y, por último, las claras batidas a punto de nieve. Mezcle suavemente.

Divida la mezcla entre dos tazones. Derrita el chocolate a baño María y agregue la hoja de grenetina exprimida. Cuando el chocolate esté tibio, agréguelo a la mitad de la crema al mascarpone.

Sirva las dos cremas bien frías, alternándolas, en tazas: ponga primero la de chocolate y después la blanca y acompañe, al gusto, con soletas o galletas.

Ladrillo de castañas

Ingredientes para 6 porciones ■

150 g de chocolate amargo
para repostería
130 g de mantequilla, cortada en
trozos pequeños
500 g de mermelada de castañas
50 g de azúcar
1 cucharada de brandy
ralladura fina de 1 naranja sin cera
cocoa en polvo sin azúcar, cernida

Preparación 15 minutos ■
Cocción 20 minutos ■
Grado de dificultad fácil ■

Despedace el chocolate y derrítalo a baño María, mezclando con frecuencia. Agregue la mantequilla y mezcle con ayuda de un batidor globo, hasta integrar por completo.

Pase a un tazón y agregue la mermelada de castañas, mezclando hasta integrar por completo a la mezcla. Mezclando enérgicamente agregue el azúcar, el brandy y una cucharada de ralladura de naranja (sólo la parte de color).

Forre con plástico adherente un refractario cuadrado y vierta la mezcla; nivélela con ayuda de una espátula humedecida con agua y deje reposar en el refrigerador por lo menos durante 12 horas.

Al momento de servir, desmolde el pastel, espolvoree con cocoa y adorne, al gusto, con marrons glacés y almendras garapiñadas. Sirva el ladrillo cortado en rebanadas.

Consejo del pastelero
Puede acompañar el ladrillo de castañas con unas cucharadas de crema batida.

Semifreddo de pistache
con chocolate crocante

Ingredientes para 4 porciones ■

60 g de cereal de arroz
inflado al chocolate
40 g de chocolate amargo
para repostería
200 g de helado de pistache
100 ml de crema batida

Para decorar
4 manojos de grosellas rojas
chocolate amargo, rallado

Preparación 25 minutos ■
Cocción 3 minutos ■
Grado de dificultad medio ■

Coloque el cereal de arroz inflado en un tazón. En una olla pequeña sobre fuego lento derrita el chocolate y viértalo sobre el arroz inflado. Acomode 4 moldes sobre una charola forrada con plástico adherente, vierta en cada uno una cucharada de mezcla de chocolate y nivélela con ayuda de una espátula o una cuchara.

Usando una espátula extienda el helado de pistache en un tazón para hacerlo más cremoso e incorpore la crema batida. Rellene los discos de arroz inflado y chocolate nivelando la superficie y congele durante 30 minutos. Retire los moldes, decore con grosellas y acompañe con el chocolate rallado.

Consejo del pastelero
Si quiere darle un toque más aromático a su postre, puede perfumar el helado de pistache con una cucharada de licor de Maraschino (licor dulce de cerezas).

Pastel de queso con peras
y chocolate

120 g de galletas secas
60 g de azúcar
50 g de mantequilla, derretida
2 hojas (4 g) de grenetina
150 g de queso ricotta
75 ml de crema fresca
1 huevo
200 g de peras dulces,
cortadas en cubos pequeños
canela en polvo

Para el glaseado
150 g de chocolate amargo
para repostería
50 ml de crema

Preparación 30 minutos ∎
Cocción 5 minutos ∎
Grado de dificultad medio ∎

Licue las galletas con una cucharada de azúcar y amase con 40 g de mantequilla. Forre 4 moldes cilíndricos con papel encerado para hornear y divida las galletas en el fondo. Nivele con la parte posterior de una cuchara y presione, colóquelos en el refrigerador para que solidifiquen.

Remoje la grenetina en agua fría, disuelva al fuego y reserve. En un procesador de alimentos licue el queso ricotta con el azúcar restante, 70 ml de crema y la yema. Disuelva la grenetina del agua, exprima, disuelva en la crema restante y agréguela a la mezcla. Bata la clara de huevo a punto de nieve e incorpore a la mezcla poco a poco. Distribuya la mezcla de queso ricotta en los moldes y póngalos nuevamente en el refrigerador.

Sofría las peras con la mantequilla y la canela en polvo; déjelas enfriar y distribúyalas sobre el mousse de ricotta. Prepare el glaseado de chocolate derritiendo a baño María el chocolate con la crema y cubra el pastel de queso. Deje enfriar, desmolde y sirva.

Pastelillo de chocolate
con corazón a las cerezas

Ingredientes para 4 porciones ■

50 g de chocolate de leche
1 cucharada de crema fresca
100 g de mermelada de cerezas
2 huevos
70 g de azúcar
20 g de harina blanca "00" o
de primera calidad, cernida
80 g de mantequilla
100 g de chocolate
amargo para repostería

Para el raspado
150 ml de leche de almendras
150 ml de agua

Para decorar
cerezas
hojas de menta

Preparación 20 minutos ■
Cocción 10 minutos ■
Grado de dificultad medio ■

Mezcle la leche de almendras con el agua y coloque en el congelador. Derrita el chocolate de leche con la crema y agregue la mermelada de cerezas. Extienda la mezcla obtenida en un tazón y coloque nuevamente en el congelador.

Bata los huevos con el azúcar agregando la harina cernida. Derrita la mantequilla con el chocolate e integre con los huevos batidos.

Usando una manga para repostería vierta la mezcla en moldes engrasados con mantequilla llenándolos hasta la mitad. Agregue un poco de la mezcla de cerezas y chocolate de leche. Hornee alrededor de 10 minutos entre 190 y 200°C (375 y 400°F). Desmolde los pastelillos y sírvalas al gusto con la granita de leche de almendras. Decore con algunas cerezas y algunas hojas de menta.

Consejo del pastelero

La leche de almendras se prepara con almendras dulces, almendras amargas, azúcar y agua de flor de naranjo. La puede preparar también en casa con pasta de almendras diluida con agua en una proporción de 1 a 6 partes.

Salsa blanca
de chocolate y cafe

Ingredientes para 4 porciones ■

50 ml de leche entera
1 cucharada de café en grano
(mezcla arábiga)
80 g de chocolate blanco
100 ml de crema fresca

Preparación 20 minutos ■
Cocción 5 minutos ■
Grado de dificultad fácil ■

Caliente la leche en el fuego y déjela enfriar; viértala en un tazón con los granos de café y déjelos en infusión el tiempo necesario para que la leche tome el sabor pero no el color. Deje en el refrigerador durante 8 horas.

Pique el chocolate. Caliente la crema con la leche, retire del fuego e integre el chocolate mezclando con ayuda de un batidor globo, hasta derretir y obtener una salsa suave y fluida. Cuando la salsa esté bien fría, sirva con los semifreddos con base de chocolate.

Consejo del pastelero
Puede servir la salsa de chocolate blanco y café para acompañar pasteles esponjosos como el pandoro o el panettone o con pasteles a base de pastel esponja.

Salsa de chocolate con especias

Ingredientes para 4 porciones ■

100 ml de leche
1 cucharada de azúcar
1 peperoncino rojo seco o chile de
árbol sin semillas
1 raja de canela, troceada
1 clavo de olor
100 ml de crema fresca
100 g de chocolate amargo para
repostería, picado

Preparación 25 minutos ■
Cocción 15 minutos ■
Grado de dificultad fácil ■

Caliente ligeramente la leche y agregue el azúcar, el peperoncino, la canela y el clavo de olor; deje en infusión durante 3 ó 4 horas y cuele.

Caliente la leche con la crema y poco después agregue el chocolate amargo, derritiéndolo muy bien.

Deje enfriar la mezcla y sírvala como una salsa para beber, en vasos pequeños o en tazas de cerámica para acompañar pasteles a base de chocolate.

Consejo del pastelero

La salsa de chocolate con especias es excelente también para acompañar helados a base de crema o leche.

Índice

Nota: los títulos marcados con
    ■ indican las preparaciones básicas

Fabricado e impreso en Italia en Febrero 2011 por /
Manufactured and printed in Italy on February 2011 by:
Reggiani S.p.A.
Via C. Rovera, 40 - 21026 Gavirate – Italy